とりあえず
日本語能力試験対策
N1
文法

上田暢美　内田嘉美　桑島卓男　糠野永未子

吉田歌織　若林佐恵里　安達万里江

ココ出版

とりあえず… （「はじめに」の代わりに…）

　みなさん、こんにちは。はじめまして。「とりあえず」この本を開いたみなさん、とてもラッキーですよ。日本語能力試験合格に一歩近づいたと思います。

　なぜなら、この本は問題数が多いからです。私たちは長年の日本語教師の経験から、合格のためには多くの問題を解いて、知らない語彙や表現を知ることで合格へ近づけると考えています。そこで、実際の日本語能力試験の形式に基づいた問題数の多い問題集を作りました。

　合格をめざしてたくさんの問題にチャレンジできます。実際の試験のように時間を計って、問題を解いてみてください。間違えた問題はもう一度解いてください。覚えるまで何度も何度も解いてみてください。そうすれば、合格は目の前です。

　さあ、「とりあえず」ページを開いて、「とりあえず」解いて、「とりあえず」覚えてみてください。そして合格してください。応援しています。

著者一同

目 次

とりあえず……………………………………………………………… ii

この本の使い方………………………………………………………… iv

日本語能力試験（JLPT）の概要……………………………………… vi

第 1 回 ………………………………………………………………… 1

第 2 回 ………………………………………………………………… 9

第 3 回 ………………………………………………………………… 17

第 4 回 ………………………………………………………………… 25

第 5 回 ………………………………………………………………… 33

第 6 回 ………………………………………………………………… 41

第 7 回 ………………………………………………………………… 49

第 8 回 ………………………………………………………………… 57

第 9 回 ………………………………………………………………… 65

第10 回 ………………………………………………………………… 73

別冊：解答・解説

この本の使い方 ─────────────────

　本書はアウトプットの練習として使うことを考えていますが、インプットの手段としても利用することができます。つまり、あなたの今の力を実戦形式で測ることと、新しい知識を得ることの両方ができるのです。

　以下に簡単な使い方を書いておきますので参考にしてください。

１．何度も解くことをお勧めします

　テスト勉強では、絶対量が大切です。特に、間違えた問題をそのままにしておくと、解いた意味がありません。何度もやり直して知識を定着させましょう。

＝＝＝

例）

４回解く

　　１回目：直接書き込まないでノートにやる。できなかったものには印をつけておく

　　２回目：直接書き込まないでノートにやる。印のあるものを解く。再びできなかった
　　　　　　ものには新たに印をつけておく

　　３回目：直接書き込まないでノートにやる。新しい印のあるものを解く

　　４回目：時間を計って全問解く。目安の時間よりも短い時間で解くようにする

＝＝＝

２．通しでやる必要はありません

　すき間時間＝バスや地下鉄の中など＝にやってみる。机に向かって勉強するだけが唯一の方法ではありません。

３．わからなければ解答を見る

　最終的に、本試験当日にできればよいのです。そのために「考えてもわからない」問題は積極的に解答を見て、知識を得、身につけるようにしてください。

4．スピード優先

　1ページ目から時間をかけてすべてを理解しようとする必要はありません。どうせ何回も解くのですから、最初は全体の半分でも理解できればいいや、という具合に気楽に考えてください。2回目、3回目で頭に入れればいいのです。そのためにも、立ち止まらずにさっさと進めて行ってください。

達成表

	例	第1回	第2回	第3回	第4回	第5回	第6回	第7回	第8回	第9回	第10回
1回目	8										
2回目	11										
3回目	16										
4回目	20										

解き終わったら、
20問中何問正解だったか
書き込みましょう

日本語能力試験（JLPT）の概要 ————————————

原則として日本語を母語としない人を対象に、日本語能力を測定し認定する、世界最大規模の日本語の試験です。1984 年に始まり、2010 年に新形式となりました。N5 から N1 までの 5 レベルに分かれています。

▶主催

　　国内：国際交流基金と日本国際教育支援協会の共催

　　海外：国際交流基金が各地機関の協力を得て実施

　　　　※台湾では公益財団法人日本台湾交流協会と共催

▶開催時期：7 月と 12 月の年 2 回（開催場所によっては年 1 回）

▶開催場所：日本の 47 都道府県。海外の開催都市については公式サイトを参照

試験の詳細については公式サイトをご覧ください。　https://www.jlpt.jp

N1について

▶時間

　　言語知識（文字・語彙・文法）・読解 ……… 110 分

　　聴解 ……………………………………………… 60 分

▶得点

総合得点		得点区分別得点					
		言語知識 （文字・語彙・文法）		読解		聴解	
得点の範囲	合格点	得点の範囲	基準点	得点の範囲	基準点	得点の範囲	基準点
0 ～ 180 点	100 点	0 ～ 60 点	19 点	0 ～ 60 点	19 点	0 ～ 60 点	19 点

合格するためには、①総合得点が合格に必要な点（＝合格点）以上であること、② 各得点区分の得点が、区分ごとに設けられた合格に必要な点（＝基準点）以上であること、の二つが必要です。一つでも基準点に達していない得点区分がある場合は、総合得点がどんなに高くても不合格になります。

得点は、「尺度得点」を導入しています。尺度得点は「等化」という方法を用いた、いつも同じ尺度（ものさし）で測れるような得点です。尺度得点を利用することで、試験を受けたときの日本語能力をより正確に、公平に、得点に表すことができます。

▶認定の目安

　幅広い場面で使われる日本語を理解することができる。

<u>読む</u>

・幅広い話題について書かれた新聞の論説、評論など、論理的にやや複雑な文章や抽象度の高い文章などを読んで、文章の構成や内容を理解することができる。

・さまざまな話題の内容に深みのある読み物を読んで、話の流れや詳細な表現意図を理解することができる。

<u>聞く</u>

・幅広い場面において自然なスピードの、まとまりのある会話やニュース、講義を聞いて、話の流れや内容、登場人物の関係や内容の論理構成などを詳細に理解したり、要旨を把握したりすることができる。

▶ N1 文法の構成

大問		ねらい
5	文の文法 1 （文法形式の判断）	文の内容に合った文法形式かどうかを判断することができるかを問う
6	文の文法 2 （文の組み立て）	統語的に正しく、かつ、意味が通る文を組み立てることができるかを問う
7	文章の文法	文章の流れに合った文かどうかを判断することができるかを問う

第**1**回

正答数

／20問

解答時間のめやす

30
分

解答・解説 ⟶ 別冊 3 ページ

問題1 次の文の（　　）に入れるのに最もよいものを、1・2・3・4から一つ選びなさい。

1 一度には無理だが、これくらいの量の荷物なら一人で（　　）。
1 運べないだろう
2 運べなくもないだろう
3 運べるはずがない
4 運ばないに越したことはない

2 夫「うわあ、大きな虫！　早く外に出してよ。」
妻「子供（　　）、自分でやったら？」
1 といえども　　2 だからって　　3 でもあるまいし　　4 にしたって

3 週末（　　）、遊園地へ向かう車で高速道路は渋滞している。
1 にあって　　2 とあっても　　3 とあって　　4 であっても

4 今夜の公演は本当に感動的だった。（　　）主役の演技がすばらしく、心を打たれた。
1 むやみに　　2 いかに　　3 ひいては　　4 とりわけ

5 わざわざ取引先まで（　　）よ。電話で連絡すれば十分だよ。
1 行くまでもない
2 行くわけではない
3 行かないではすまない
4 行かずにはおかない

6 お昼にあの有名なレストランの前を通ったら、時間（　　）時間だけに長蛇の列ができていた。
1 で　　　　2 を　　　　3 が　　　　4 に

7 （商談で）
山田「この件につきましては、部長の鈴木より再度（　　）ということで。」
田中「分かりました。お待ちしております。」
1 ご連絡してくださる
2 ご連絡する
3 ご連絡なさる
4 ご連絡していただく

8 知っていたなら（　　）。私があたふたするのを見て笑うなんて意地悪な人ですね。

1　教えるまでのことなのに　　　　　2　教えればそれまでだ

3　教えるきらいがある　　　　　　　4　教えてくれたらいいものを

9 彼の姿が（　　）、待っていた人々は先を争ってサインを求めた。

1　見えるべく　　　　　　　　　　　2　見えるやいなや

3　見えるときたら　　　　　　　　　4　見えんばかりに

10 就職を（　　）、4年間過ごした東京を離れ、田舎に戻ることにした。

1　契機に　　　　　2　皮切りに　　　　3　限りに　　　　4　もとに

問題2 次の文の___★___に入る最もよいものを、1・2・3・4から一つ選びなさい。

11 彼の文章は読者を引きつける。＿＿＿＿ ＿＿＿＿ ＿★＿ ＿＿＿＿ 、登場人物の心情をうまく表現している。

1 ひとつに　　　2 言葉の選び方　　3 しても　　　　4 そうで

12 昨夜は妻の両親がいた ＿＿＿＿ ＿＿＿＿ ＿★＿ ＿＿＿＿ 約束せずには済まない状況だった。

1 安定した　　　2 つくと　　　　3 手前　　　　　4 職に

13 店員に ＿＿＿＿ ＿＿＿＿ ＿★＿ ＿＿＿＿ 山田さんに驚かされた。

1 極まる　　　　2 失礼　　　　　3 言葉を発する　4 対して

14 気が ＿＿＿＿ ＿＿＿＿ ＿★＿ ＿＿＿＿ とのことらしい。

1 立場上　　　　2 会議である　　3 出ざるを得ない　4 進まないが

15 皆をこんな時間に呼び出したのは、＿＿＿＿ ＿＿＿＿ ＿★＿ ＿＿＿＿ でしょうね。

1 の理由　　　　2 それなり　　　3 のこと　　　　4 があって

問題3 次の文章を読んで、文章全体の主旨を踏まえて、　16　から　20　の中に入る最もよいものを、1・2・3・4から一つ選びなさい。

短視眼的希望

　高度成長期のように、まだ欲しい商品がすぐには手に入れられない時代には、いつの日にか、それを我が家のものとすることを願い、一所懸命働きました。それから経済が成熟し、多くの家庭では欲しい商品はだいたい手に入れることができるようになります。　16　求めるものは、将来の商品の購入ではなく、今すぐに「満たされたい」「気持ちよくなりたい」というサービスを求める感覚に変わっていきます。サービス社会の進展です。

　1990年代に流行した「癒されたい」という言葉も、遠い先に　17　、すぐにラクになりたい、今気持ちよくなりたいという希望の変化を象徴する言葉です。希望は遠い先にあるものから、すぐに実現してほしいものへと変化していきました。

　裏返せば現代は、すぐに希望がかなえられなければ「希望がない」という感覚につながりやすくなっているのです。この製造業を中心とした経済から、サービス業に重心を移した経済へという産業構造の変化も、社会における希望のありように影響しています。

　近くの希望を求めがちになるのは経済の必然としても、ただ一方で希望があまりに短視眼的になりすぎるのは、危険かもしれません。幸福が継続を求めるの　18　、希望は変化とセットであるという話を前にしました。短い希望を求めすぎると、変化ばかりを求めがちになります。そうなると、日常に変化がないことを過度に退屈と思ってしまい、落ち着いて未来に取り組むということが、億劫に感じられる傾向も　19　。

　かつて倒産の危機にあった日産自動車を立て直すために経営者となったカルロス・ゴーンさんは、社員一人ひとりに二つのことを求めたといいます。一つは短期の「コミットメント（達成責任）」。もう一つは長期の「ターゲット（目標）」でした。それらを社員が自分で決めて実行することを、改革の原動力にしたそうです。希望は、短期、中期、長期の三つくらいにわけて持つと、いい　20　。

（玄田有史『希望のつくり方』岩波新書による）

16

　1　そういうことなら　　　　　2　こうするのなら

　3　そうなると　　　　　　　　4　こういえば

17

　1　満たすものではなく　　　　2　満たされないのなら

　3　満たされようものなら　　　4　満たされるのではなく

18

　1　に引き換え　　　　　　　　2　とは対照的に

　3　にともない　　　　　　　　4　とあいまって

19

　1　強まるでしょう　　　　　　2　強めるでしょう

　3　強まらないでしょう　　　　4　強めないでしょう

20

　1　のでしょうか　　　　　　　2　とは言えません

　3　と言わざるを得ません　　　4　のかもしれません

第1回

第2回

第3回

第4回

第5回

第6回

第7回

第8回

第9回

第10回

第**2**回

正答数

／

20問

解答時間のめやす

30

分

解答・解説 ——→ 別冊 **3** ページ

問題1 次の文の（　　）に入れるのに最もよいものを、1・2・3・4から一つ選びなさい。

1 （スピーチで）

「新社屋完成おめでとうございます。御社のますますのご発展を（　　）。」

1　願ってやみません　　　　　　　　2　願っていないことはありません

3　願わないわけではありません　　　4　願っておりません

2 田中「風邪が大流行していますね。」

佐藤「私は全然風邪をひかないから大丈夫だと思います。」

田中「でも、今年の風邪は長引くようですから、注意するに（　　）ですよ。」

1　越したことはない　　　　　　　　2　限らない

3　極まりない　　　　　　　　　　　4　値しない

3 （張り紙で）

当医院では、夜9時を過ぎてからの面会は、（　　）認められていません。

1　どうしても　　　2　むしろ　　　　　3　必ず　　　　　　4　いっさい

4 有名な大学を卒業していれば、優秀で仕事もよくできる（　　）。必ずしもそうではないと思われる。

1　べきではないだろうか　　　　　　2　べきであるか

3　と言えないではないか　　　　　　4　と言えるだろうか

5 事故の影響で電車は遅れ（　　）遅れ、待ち合わせの時間に1時間も遅刻してしまった。

1　は　　　　　　　2　に　　　　　　　3　が　　　　　　　4　し

6 （インタビューで）

記者「社長、今回の件について一言お願いいたします。」

社長「今後、このようなことを二度と起こさないよう、細心の注意を（　　）。」

1　払う所存でございます　　　　　2　払うわけでございます

3　払わないではいられません　　　4　払わないものでもございません

7 プレゼンテーションを頼まれた。人前で話すのが大嫌いなので、（　　）そうした
いが、社の命運がかかっているらしい。

1　やらずに済むのだから　　　　　2　やらずにいることで

3　やらずに済むものなら　　　　　4　やらずにいると

8 毎日仕事をしていると大変だが、（　　）家族サービスで休む暇もない。

1　休みになったらなったで　　　　2　休もうが休むまいが

3　休むことをものともせず　　　　4　休みのいかんにかかわらず

9 この写真を見ると、当時のことが（　　）自然と涙が出てきてしまう。

1　思い出させられて　　　　　　　2　思い出させて

3　思い出して　　　　　　　　　　4　思い出されて

10 早く帰りたいが、みんな残って準備をしているものだから（　　）。

1　帰るまでもない　　　　　　　　2　帰るに帰れない

3　帰るまでのことだ　　　　　　　4　帰ってもかまわない

問題2 次の文の___★___に入る最もよいものを、1・2・3・4から一つ選びなさい。

11 皆で話し合っている最中、まるで _____ _____ __★__ _____ 腹が立った。

    1　のに　　　　　　　　　　　　　　2　ケータイをいじり出す

    3　自分は関係ない　　　　　　　　4　とばかりに

12 ベジタリアンの彼は、肉や魚 _____ _____ __★__ _____ しないらしい。

    1　はおろか　　　　2　口に　　　　　3　すら　　　　　4　卵や牛乳

13 地下室は米国では一般的なようだが、それに馴染みの _____ _____ __★__

_____ 。

    1　場所である　　　2　秘密めいた　　　3　私にとっては　　4　ない

14 会社のお金に手をつけていた _____ _____ __★__ _____ 禁じ得ない。

    1　怒り　　　　　　2　社員　　　　　3　に　　　　　　4　を

15 冗談とはいえ、あんなひどいことを言われて、絶対 _____ _____ __★__

_____ と思っていたが、仕事は仕事なので手伝うことにした。

    1　ものか　　　　　2　なんて　　　　3　やる　　　　　4　手伝って

第1回
第2回
第3回
第4回
第5回
第6回
第7回
第8回
第9回
第10回

問題3 次の文章を読んで、文章全体の主旨を踏まえて、[16]から[20]の中に入る最もよいものを、1・2・3・4から一つ選びなさい。

身の丈に合った暮らし方

　多くの場合、子供の才能の限度を知っているのは親だが、[16]、却ってそれがわからないという不幸なケースもないではない。例えば親が音楽好きで、しかも素人とは思えないほどの才能もあったために、その人は自分の子供には早くから英才教育を施し、世界に通用するピアニストやヴァイオリニストにしようなどと思う[17]。

　あるいは、自分には生まれのよさや家代々で受け継いだ財産などがないことを知っている家庭が、何とかしてその点で社会の上層部に「這い上がりたい」と望む時に、無理が出る。

　ほとんどすべてのことに、人には努力[18]限度がある。青年は「大志を抱く」のもいいが、「抱かない」のも賢さなのだ。

　私は最近「身の丈に合った暮らし方」がますます好きになった。それも年を取ったおかげである。自分がどういう暮らしをしたら幸福かが、実感としてわかるようになったからだろう。

　私もこざっぱりした服を着たり、少し趣味のいい小物を身近におきたい[19]。しかし多くは要らない。私はいわゆるものもちがいいので、気に入ったものを磨いたり修理したりして長く使い、その結果、ものが増える傾向にある。すると必要な時に、適切なものが取り出せない。

　蛇でもタヌキでも、恐らくねぐらの穴の寸法は、自分の体に[20]。大きすぎても小さすぎても、不安や不便を感じる。この「身の丈に合った暮らし方」をするということが、実は最大のぜいたくで、それを私たちは分際というのであり、それを知るにはやはりいささかの才能が要る。分際以上でも以下でも、人間はほんとうには幸福になれないのだ。

（曽野綾子『人間の分際』幻冬舎新書による）

16

1　親であるか否かにかかわらず　　　2　親だったら親だったで

3　親だったからこそ　　　　　　　　4　親であるがゆえに

17

1　きっかけとなる　　　　　　　　　2　ためしがない

3　ものとする　　　　　　　　　　　4　例である

18

1　にあるまじき　　2　にもまして　　3　でなしうる　　　4　でないまでも

19

1　とも思えない　　　　　　　　　　2　とは思う

3　と思わざるを得ない　　　　　　　4　と思うことになる

20

1　合わないものではないだろう　　　2　合わないものがいいのだろう

3　合ったものはないだろう　　　　　4　合ったものがいいのだろう

第**3**回

正答数

20問

解答時間のめやす

30

分

解答・解説 ──→ 別冊 **4** ページ

問題1 次の文の（　　）に入れるのに最もよいものを、1・2・3・4から一つ選びなさい。

1 10年も英語を学んだのに、意見を言うことは（　　）買い物もできない。

  1　おろか   2　抜きにして   3　どうあれ   4　いざ知らず

2 A「この度は弊社のソフトがシステムエラーを起こしてしまい、本当にすみませんでした。」

  B「すみません（　　）でしょう？　一刻も早く原因を究明してください。」

  1　ではおかない   2　では済まない   3　には済まない   4　にはおかない

3 彼の今回の講演はおもしろく（　　）有意義なものであった。

  1　かえって   2　むしろ   3　ないしは   4　かつ

4 この本には平和への思いが込められており、読者にこのままではいけないと（　　）傑作だ。

  1　思う   2　思われる   3　思わせる   4　思っている

5 人間がコンピューターに支配されるなんて、考える（　　）恐ろしい。

  1　ゆえ   2　さえ   3　だに   4　のに

6 学生たちの（　　）、大学は学費の大幅な値上げを強行した。

  1　反対とばかりに   2　反対を皮切りに

  3　反対をはじめ   4　反対をよそに

7 映画の意外な結末に、観客は驚きを（　　）。

  1　もとにした   2　ものともしなかった

  3　きっかけにした   4　禁じ得なかった

8 中学生のころは遊んでばかりいました。高校生のときに田中先生に（　　　）今の私はありません。心から感謝しています。

　1　出会っていなければ　　　　　　　　2　出会ったとしたら

　3　出会おうが　　　　　　　　　　　　4　出会わなかったにしろ

9 自分からぶつかってきておきながら、謝りもせずに立ち去るなんて無礼（　　　）。

　1　しかない　　　　2　極まりない　　　3　にすぎない　　　4　でならない

10 彼は何も聞きたくないと（　　　）、部屋を出て行ってしまった。

　1　言わんばかりに　　　　　　　　　　2　言わずして

　3　言ったわりに　　　　　　　　　　　4　言おうものなら

問題2 次の文の___★___に入る最もよいものを、1・2・3・4から一つ選びなさい。

11 ___ ___ ___★___ ___ 、我々の上司が仕事の上で実践していることが
ある。

1 良い 　　　　2 手本と 　　　　3 なるべく 　　　　4 部下にとって

12 今ある環境問題を解決するには、___ ___ ___★___ ___ 見直す必要
がある。

1 犠牲を 　　　　2 生活を 　　　　3 多少の 　　　　4 払ってでも

13 自分のイメージ通りの ___ ___ ___★___ ___ 、服飾デザインの専門
学校へ行くことにした。

1 服が 　　　　2 作るまでだと 　　　　3 自分で 　　　　4 ないなら

14 部下を指導する立場にある人の多くは、細かな ___ ___ ___★___ ___ 。

1 がある 　　　　2 きらい 　　　　3 ことまでも 　　　　4 こだわりすぎる

15 今年で結婚50周年を迎える両親 ___ ___ ___★___ ___ 、子供たち
で家族旅行を計画した。

1 に 　　　　2 と 　　　　3 への 　　　　4 プレゼント

問題3 次の文章を読んで、文章全体の主旨を踏まえて、[16]から[20]の中に入る最もよいものを、1・2・3・4から一つ選びなさい。

おっくう

　おっくうという病がある。漢字で書くと「億劫」。医者のカルテにはしるされていないから、医学的には病気ではないのだろう。若い人がかかるケースはごく少ないと思われる。齢[16]疾患率が高まって、老いの到来とともに歴然とあらわれる。

　へんな漢字なのは、「おくこふ」の変化したもので、もともと長い時間がかかり、すぐにはできないという意味だったらしい。すぐにはできない、つまりしたくない。辞書には「手足や頭を働かせることがめんどうな様子」（「新明解国語辞典」）とある。気が向かない、めんどくさい、大儀だと言うのに似ている。亢進すると、[17]セリフになる。

　「何もかも、おっくうだねェ」

　私はまだそこまでは進んでいない。何もかもではなく、さし迫った何かが、おっくうになる。昔の仲間と久しぶりに会食をする約束、チケットを買ったピアノ演奏会、ちょっとした遠出のプラン、駅前の喫茶店でのインタビュー……。

　会食を約束したとき、[18]演奏会のチケットを手に入れたとき、たのしみだった。遠出のために地図やジャケットを用意したし、インタビューは身近なテーマで、なんら負担ではない。どれも気軽に応じられる。身支度をして、定刻に合わせて出かければいいのである。

　それが[19]のだ。前日の夜あたりから、全身がだるい感じで何やら気が重い。当日の朝、時間の腹づもりをするあたりから、気分がめいってくる。心がはずまない。なんともいえぬもの哀しい気分。自分では「老人性メランコリー」と言いかえて、さしあたりは我慢している。メランコリーは若いときもあったが、正確にはセンチメンタルで、おセンチな手紙を書いたり、映画館に行けば、あとかたもなくなった。このたびは[20]。そもそも手紙を書きたいなどとは、まるきり思わないし、映画に行くなんて、もとよりおっくうでならない。何の因果で人ごみの中へ出かけていくのか。

（池内紀「おっくうの系譜」『ベスト・エッセイ 2018』光村図書）

（注）亢進する：程度が進む

第1回
第2回
第3回
第4回
第5回
第6回
第7回
第8回
第9回
第10回

16

    1　いかんで　　　　2　とともに　　　　3　を踏まえて　　　4　にかかわらず

17

    1　そんな　　　　　2　こんな　　　　　3　あんな　　　　　4　どんな

18

    1　あるいは　　　　2　つまり　　　　　3　その上　　　　　4　ゆえに

19

    1　そうなった　　　　　　　　　　2　そうならなくもない
    3　そうなる　　　　　　　　　　　4　そうとはならない

20

    1　まるでちがう　　　　　　　　　2　相違ないのである
    3　それほどちがわない　　　　　　4　ちがうおそれがある

第**4**回

正答数

| | 20 問 |

解答時間のめやす

30

分

解答・解説 ⟶ 別冊 **4** ページ

問題1 次の文の（　　）に入れるのに最もよいものを、1・2・3・4から一つ選びなさい。

1 不満を（　　）が、この不景気に再就職は難しいから今の会社を辞めることはできない。

1　言うまでもない　　　　　　　　2　言うに越したことはない

3　言うにはあたらない　　　　　　4　言えばきりがない

2 山田「田中さん、京都に引っ越すんだって？」

田中「うん。よかったら遊びにきて。」

山田「じゃあ、観光（　　）今度お邪魔するよ。」

1　がてら　　　　2　までして　　　　3　ながらに　　　　4　ずくめで

3 一国の大統領（　　）、気軽に友人と食事にも行けない。

1　すら　　　　2　において　　　　3　ともなると　　　　4　と思いきや

4 先日初めて富士山に登った。山頂で日の出を見たときの感動（　　）。

1　にほかならない　　　　　　　　2　といったらなかった

3　を余儀なくされた　　　　　　　4　にたえない

5 学校から戻った息子は家に（　　）、大声で泣き始めた。

1　入るなり　　　2　入ったが最後　　3　入ってこそ　　　4　入っては

6 （インタビューで）

A「成功の秘訣を一つ（　　）。」

B「そうですね、失敗しても自分なりに結果を分析して、改善点を見いだすことでしょうか。」

1　お聞かせ願えないでしょうか　　2　お聞きいただけないでしょうか

3　伺っていただきたいのですが　　4　伺わせて差し上げたいのですが

7 できるかどうかはわからないが、締切まであと1日ある。とにかくやって（　　）。

1 みるしまつだ　　　　　　　　2 みただけのことはある

3 みるものだ　　　　　　　　　4 みるまでだ

8 最近、多くの外国人（　　）年間何千万人もの観光客が来るため、ホテルが足りなくなっている。

1 に限り　　　　　2 にわたり　　　　3 を含め　　　　4 を受け

9 我が社が海外事業に進出するか否かは、社長の考え方（　　）。

1 いかんだ　　　　2 限りだ　　　　3 の至りだ　　　　4 の極みだ

10 親が子供を心配する気持ちにつけこんで金をだまし取るとは、人として（　　）行為だ。

1 許すにかたくない　　　　　　2 許すべからざる

3 許しを禁じ得ない　　　　　　4 許すまでもない

問題 2 次の文の ___★___ に入る最もよいものを、1・2・3・4から一つ選びなさい。

11 3か月にわたって _____ _____ __★__ _____ 全国に広がっていった。

    1　とどまらず　　　2　抗議活動は　　　3　1つの地域に　　4　行われた

12 今日出そうと _____ _____ __★__ _____ 手紙は、未だにカバンの中に入っている。

    1　出し　　　　　　2　ながらも　　　3　思い　　　　　4　そびれた

13 会社をやめようかやめるまいか _____ _____ __★__ _____ 夢をもう一度追いかけることにした。

    1　さんざん　　　　　　　　　2　あげく

    3　悩んだ　　　　　　　　　　4　あきらめられなかった

14 これくらいのマンションなら _____ _____ __★__ _____ ので、思いきれない。

    1　ローンの返済　　　　　　　2　にもなりかねない

    3　に追われること　　　　　　4　無理すれば買えなくもないが

15 うちの夫は帰宅するとゲームばかりして、私の話なんて聞いてくれない。私を _____ _____ __★__ _____ 思っているのだろうか。

    1　ルームメートだ　　　　　　2　でも

    3　と　　　　　　　　　　　　4　単なる

問題3 次の文章を読んで、文章全体の主旨を踏まえて、 16 から 20 の中に入る
最もよいものを、1・2・3・4から一つ選びなさい。

便利の「副作用」

　「便利」というのは都合のよいことであるが、よい部分だけを見ていると、それに付
随して生じてくる「副作用」の部分を見落としてしまう。まず、便利になった部分に関
して、それまでにあったものがなくなっている。それを失った結果、生活の質が落ちる
ことはないか。

　便利という観点からだけ見ていると、人生における重要なことは何かについて考えな
くなる。便利さに乗せられて、ほかのことを考える余裕がなくなるのだ。新しいものに
替えるときは、それまでのものが本当に不用なのかどうかを、もう一度よく考えてから
にする。

　 16 、ちょっとくらい便利なものが出てきたからといって、それまでに使っていた
ものを即座に捨てることはなくなる。まだ十分に使えるものを捨てるのは、消費の仕方
が中途半端である。商品は「完全消費」をするのが理想的である。追いかけるように新
しいものが出てきて早々に旧式になる商品は、 17 「不完全商品」である。それをつ
くっている企業の怠慢であり、計画性のなさを示している。

　また、計画的に頻繁にモデルチェンジをするのは、消費者の好みの変化に対応してな
どといっているが、実際は企業が利を 18 「企み」である。それは、自社の利に関し
ては計画的であるが、消費者の生活については計画的に考えていない結果になっている。
まだ新しいものを、いたずらに早く古いものにしてしまって、ゴミの山をつくるだけで
ある。それは、環境の悪化への道であり、人類に対する敵対行為以外のなにものでもな
い。

　ものに心を通わせて利用していけば、ものにも天寿を 19 、と考えるようになるは
ずだ。それは、ものを利用する人間の 20 。

（山﨑武也『「品格」の磨き方』講談社＋α新書による）

16

1　そのうえで

2　それをよそに

3　それはさておき

4　そうすれば

17

1　あるいは　　　　2　および　　　　3　いわば　　　　4　ごく

18

1　図るとする　　　2　図ろうとする　　　3　図るとなる　　　4　図ろうとなる

19

1　全^{まっと}うさせたい

2　全^{まっと}うされたい

3　全^{まっと}うしたい

4　全^{まっと}うさせられたい

20

1　義務だろうか

2　義務とはいえまい

3　義務ではないだろうか

4　義務ではなかろう

第**5**回

正答数

20問

解答時間のめやす

30

分

解答・解説 ──→ 別冊 5 ページ

問題1 次の文の（　　）に入れるのに最もよいものを、1・2・3・4から一つ選びなさい。

1 高校時代の恩師に（　　）、母校へ行った。

1　会うべく　　　　　2　会うべし　　　　　3　会うべき　　　　　4　会うべからず

2 母「ケンカの原因は何なの？」

子「あおいちゃんがいないときに、あおいちゃんの日記を読んじゃったの。そうしたら、もう絶交だって言うんだ。」

母「そこまで言わなくてもいいのにね。けど、人の日記を勝手に読んだあなた（　　）あなたよ。」

1　まで　　　　　　2　でも　　　　　　3　で　　　　　　　4　も

3 遅刻するかと思ってタクシーに乗ったら、渋滞にまきこまれて（　　）時間がかかってしまった。

1　まさか　　　　　2　どうやら　　　　3　いったい　　　　4　かえって

4 今度の相手は強豪校だが、案外勝てるのではないかという気が（　　）。

1　しなくもない　　　　　　　　　2　するとは限らない

3　しようもない　　　　　　　　　4　するほかない

5 私の作品が最優秀賞に選ばれる（　　）、とうてい信じられない。

1　とも　　　　　　2　とは　　　　　　3　なり　　　　　　4　のに

6 （電話で）

高田「新製品につきまして、一度直接（　　）ご説明をいたしたいのですが、お伺いしてもよろしいでしょうか。」

小林「さようでございますか。それは、わざわざありがとうございます。」

1　ご覧になって　　　　　　　　　2　お会いになって

3　お目にかかって　　　　　　　　4　拝見して

7 山田「本当に何とお礼を言ったらいいかわかりません。ありがとうございました。」
　高橋「そんなにお礼を言わないでください。私は当たり前のことをした（　　　）んですから。」

　　1　にすぎない　　　　　　　　　2　といったらない

　　3　ほどのことではない　　　　　4　とはいえない

8 すべての人が（　　　）悩みを抱えているものです。

　　1　多さといい少なさといい　　　2　多かれ少なかれ

　　3　多かろうが少なかろうが　　　4　多いなり少ないなり

9 子供をだましてお金を奪うとは、（　　　）行為だ。

　　1　教育者にたる　　　　　　　　2　教育者ならではの

　　3　教育者にあるまじき　　　　　4　教育者たらしめる

10 買い物（　　　）その辺をぶらぶらしない？

　　1　のかたわら　　　2　かたがた　　　3　がてら　　　　　4　をはじめ

問題 2　次の文の＿★＿に入る最もよいものを、1・2・3・4から一つ選びなさい。

11　＿＿＿＿　＿＿＿＿　＿★＿　＿＿＿＿　Ｔ社のパソコンがウイルスに感染したというニュースが流れた。

　　1　からある　　　　2　つい　　　　　　3　1000台　　　　4　最近

12　大学が多い　＿＿＿＿　＿＿＿＿　＿★＿　＿＿＿＿　、このあたりではあまり見かけない。

　　1　かと思いきや　　2　多い　　　　　　3　街だから　　　　4　学生が

13　息子は頑固で、＿＿＿＿　＿＿＿＿　＿★＿　＿＿＿＿　言おうと聞かない。

　　1　言い出した　　　2　誰が何と　　　　3　いったん　　　　4　が最後

14　高校時代は、バレーボール部の監督の「日々の厳しい練習　＿＿＿＿　＿＿＿＿　＿★＿　＿＿＿＿　ない」という言葉を胸に、練習に明け暮れたものだ。

　　1　勝利　　　　　　2　なくして　　　　3　望みようも　　　4　など

15　アルバイトを始めたときは、給料がいいからやってみようか　＿＿＿＿　＿＿＿＿　＿★＿　＿＿＿＿　しかなかったが、いつしかお客様の喜ぶ顔を見るのが楽しみになっていた。

　　1　気持ち　　　　　2　ぐらい　　　　　3　の　　　　　　　4　で

問題3 次の文章を読んで、文章全体の主旨を踏まえて、 16 から 20 の中に入る最もよいものを、1・2・3・4から一つ選びなさい。

常識

　私たちの日常生活を支えているのは「常識」です。この「常識」とは何かについて、まずはその定義をはっきりさせることから始めましょう。日常会話における「常識」とは、

　　「多くの人がXを知っている」 16 「多くの人がXを正しいと思っている」

　　　→Xは「常識」である

と定義づけることができます。

　具体例で考えてみましょう。ある事実についての知識、例えば「江戸幕府の初代将軍は徳川家康である」について、それを知っている人が日本国民の大多数であるならば「江戸幕府の初代将軍が徳川家康なのは 17 」ということができます。

　常識という用語をその定義から考え直すと、「常識」は「常識だから正しい」ということを意味しているわけではないことに気づかされます。

　このことを 18 ために、「世の中では常識とされている」もうひとつの命題、「人間は皮膚呼吸しないと死んでしまう」について考えてみましょう。これも徳川家康の例と同様、多くの日本人が違和感なく受け入れている知識だと思います。化粧を落とさずに寝ると皮膚呼吸ができなくて肌に悪いとか、全身にやけどを負うと皮膚呼吸ができなくて死んでしまうとか……テレビで誰かが言っていたのか本で読んだのか、どこで仕入れた知識かは覚えていないけれど、たいていの人が受け入れている「常識」です。しかし、これは科学的には誤りです。人間は両生類ではありませんから、皮膚呼吸をしなくても 19 。

　「Xが正しい」ことは、「Xが常識である」ための必要条件ではなく、「大多数の人がXを正しいと思っている」こと 20 「Xが常識である」ための必要条件なのです。したがって、ある言説が「常識」として語られていても、それが正しいか否かは別のものとして検討していかなければなりません。

（飯田泰之 『ダメな議論―論理思考で見抜く』ちくま新書による）

第1回
第2回
第3回
第4回
第5回
第6回
第7回
第8回
第9回
第10回

16

1 かつ　　　　　2 なお　　　　　3 すなわち　　　　4 ただし

17

1 常識である　　　　　　　　　2 常識ではない

3 常識とみられる　　　　　　　4 常識にはあたらない

18

1 理解される　　　　　　　　　2 理解させる

3 理解していただく　　　　　　4 理解してくださる

19

1 死ぬに越したことはありません　　2 死んだりはしません

3 死んで差し支えありません　　　　4 死なないことはありません

20

1 すらも　　　　　2 こそが　　　　　3 さえも　　　　　4 までが

第**6**回

正答数

20問

解答時間のめやす

30
分

解答・解説 ⟶ 別冊 5 ページ

問題1 次の文の（　　　）に入れるのに最もよいものを、1・2・3・4から一つ選びなさい。

1 周りが（　　　）、私は自分の決めた道を進むまでです。

1　反対しようがしまいが　　　　　　　2　反対しようにもできないが

3　反対することなしに　　　　　　　　4　反対するにつけしないにつけ

2 「入社以来、長い間大変お世話になりましたが、本日（　　　）退職いたします。今まで本当にありがとうございました。」

1　を皮切りに　　　2　にして　　　3　に至って　　　4　をもって

3 この発明は我が社、（　　　）我が国の発展につながる可能性があるすばらしいものだ。

1　もろに　　　　2　ひたすら　　　3　やけに　　　　4　ひいては

4 こんなに早く研究の成果が出るなんて、（　　　）。

1　驚きを否めない　　　　　　　　　　2　驚きを禁じ得ない

3　驚いてやまない　　　　　　　　　　4　驚くにはあたらない

5 彼女のファッションセンスは独特で、いつも黒（　　　）で変わったデザインの服を着ている。

1　だらけ　　　　2　まみれ　　　　3　がち　　　　　4　ずくめ

6 （メールで）
営業所移転のため、来月3日の午後から翌4日の昼まで代表電話が不通となります。ご迷惑をおかけいたしますが、どうぞご理解（　　　）、よろしくお願い申し上げます。

1　いただきたく　　2　くださりたく　　3　申し上げたく　　4　いたしたく

7 看護師の仕事にはいかに苦労が多いか、想像（　　　）。

1　にかたくない　　2　の至りだ　　　3　に限る　　　　4　の極みだ

8 木村「もっと広いうちに住みたいなあ。」

上田「（　　　）、掃除が大変だよ。」

1　広いにせよ　　　　　　　　　　2　どんなに広かろうが

3　広かったら広かったで　　　　　4　広いとも広くないとも

9 孫が生まれたときの両親の（　　　）は、想像以上だった。

1　喜びそう　　　　2　喜びよう　　　　3　喜びがち　　　　4　喜び気味

10 （　　　）、客からお金を取れるレベルの料理ではない。

1　食べられないとあれば　　　　　2　食べられないとは

3　食べずにはいられないが　　　　4　食べられなくはないが

問題2 次の文の___★___に入る最もよいものを、1・2・3・4から一つ選びなさい。

11 この会社は創業 _____ _____ ★ _____ 取締役会が運営されている。

1　作られた　　　　2　規則　　　　　　3　にのっとって　　4　当時に

12 長年にわたる研究の成果が実を結び、再生医療の技術は今や世界中で注目を浴びている。しかし,すでに臨床に _____ _____ ★ _____ というわけではない。

1　といえども　　　　　　　　　2　万能である

3　用いられている　　　　　　　4　まだ課題も多く抱えており

13 被害者遺族は事件の _____ _____ ★ _____ 協力を訴えていた。

1　涙　　　　　　　2　解決のため　　　3　早期　　　　　4　ながらに

14 どれだけ売り上げを伸ばしても、他の社員と _____ _____ ★ _____ 。

1　かいがない　　　　　　　　　2　変わらないのでは

3　努力している　　　　　　　　4　給料が

15 彼はちょっとプログラミング _____ _____ ★ _____ じゃないか。君は君で今までの経験を生かしたらいいんだよ。

1　いう　　　　　　2　だけ　　　　　3　得意って　　　4　が

問題3 次の文章を読んで、文章全体の主旨を踏まえて、 16 から 20 の中に入る最もよいものを、1・2・3・4から一つ選びなさい。

高齢者に対するイメージ

言うまでもないことですが、最近の高齢者は、一昔前の高齢者に比べて、とても元気になっています。

私が成人した頃（ 16 正確な年月は書きませんが）は、男性の平均寿命は68歳、女性は73歳で、人生70年の時代でした。

かつてお年寄りというと、腰が曲がり、杖を突いているイラストが使われていましたが、今の感覚では、そのような姿で描かれるのは、おそらく90歳代半ば過ぎの人のように思います。

私の希望的観測も含まれるかもしれませんが、最近の65歳には、まだ"高齢者"というイメージはほとんど 17 。

65歳から74歳を前期高齢者、75歳以上を後期高齢者とする区分があります。どうも75歳を過ぎると、自分自身を"高齢者"と自覚する、あるいは自覚しなければならないようですが、前期高齢者たちは自分を高齢者とは思っていないのです。

そうは思いつつ、60歳代の人々は、心の片隅では「もう私も高齢者だ」と意識していますが、それでも現実にはそれを無視して暮らしています。「 18 」という思いから、実際には現実を受け入れていないのです。

たとえば、私は60歳の誕生日を迎えたとき、「私が60歳！？」というのが正直な感想で、「信じられない年齢になった」と思いました。

氏名や住所と同時に「年齢」を記入せねばならないと、自分のことではなく、誰か他人の年齢を 19 気持ちでした。そして2年くらい経つと、「本当に60代なんだ……」と認識するようになってきました。

若いときには、自分より上の年代の人たち、特に高齢者に対して固定的なイメージを勝手に抱いています。そのかつてのイメージに自分を当てはめるのが嫌なのです。それどころか、 20 のです。

（染谷俶子『まだ老人と呼ばないで』日経プレミアシリーズによる）

第1回

16

    1 とりわけ   2 必ずしも   3 きわめて   4 あえて

17

    1 見させられません   2 見られません

    3 見るまでもありません   4 見えてなりません

18

    1 そうなろうにもなれない   2 そうであればいい

    3 そう思うべき   4 そうあって欲しくない

19

    1 書いているかのような   2 書いてもさしつかえない

    3 書かざるを得ない   4 書くに足る

20

    1 許しがたい   2 許しにくい   3 許しやすい   4 許したい

第**7**回

正答数

20問

解答時間のめやす

30

分

解答・解説 ──→ 別冊6ページ

問題 1　次の文の（　　）に入れるのに最もよいものを、1・2・3・4から一つ選びな
さい。

1　先週のマラソン大会では選手たちが（　　）大接戦を繰り広げた。

1　抜きつ抜かれつの　　　　　　　　2　抜いては抜かれては

3　抜くなり抜かれるなり　　　　　　4　抜こうが抜くまいが

2　母「お風呂入った？　宿題はしたの？」

子「（　　）お風呂だ宿題だってうるさいなあ。日曜日ぐらいゆっくりさせてよ。」

1　たとえ　　　　　2　ただ　　　　　3　さて　　　　　4　やれ

3　いつもよく食べる彼が、今日は食欲がないと言って昼ご飯を食べなかった。（　　）
今日のテストがかなり悪かったようだ。

1　むしろ　　　　　2　まるで　　　　3　あたかも　　　　4　どうやら

4　彼のこれまでの実績からすると、彼がオリンピックの出場選手に選ばれたことも
（　　）。

1　驚くにたえないだろう　　　　　　2　驚いてやまないだろう

3　驚くはずだろう　　　　　　　　　4　驚くにあたらないだろう

5　大雨の中、遊んで帰ってきた子供たちの服は泥（　　）だった。

1　みどろ　　　　　2　ずくめ　　　　3　ぐるみ　　　　4　まみれ

6　（レストランで）

シェフ「本日のお料理、お気に（　　）いただけましたでしょうか。」

客「はい。大変おいしかったです。」

1　召されて　　　　　　　　　　　　2　お召しになって

3　召して　　　　　　　　　　　　　4　召させて

7 課長に明日までにリストを作成するように頼まれたが、一人では（　　　）。どうしよう。

1　無理に決まっている　　　　　　2　無理だということだ

3　無理であるとは限らない　　　　4　無理なのもしかたない

8 こんなに遅れてしまうと、今からタクシーに（　　　）間に合いそうもない。

1　乗ったところで　　　　　　　　2　乗ったそばから

3　乗るが早いか　　　　　　　　　4　乗ったら乗ったで

9 歌のオーディションのため、何か月も前から練習してきたが、のどを痛めて声が出なくなってしまった。これでは（　　　）歌えない。

1　歌おうとも　　　　　　　　　　2　歌おうにも

3　歌ったにもかかわらず　　　　　4　歌ったといえば

10 第20回全国青年会議の開催（　　　）、一言ごあいさつ申し上げます。

1　を皮切りに　　　2　を最後に　　　3　にあたって　　　4　に応じて

問題2 次の文の ___★___ に入る最もよいものを、1・2・3・4から一つ選びなさい。

11 塩といってもさまざまで、_____ _____ ___★___ _____ ものもある。

1 50グラムで　　2 数万円　　　　3 中には　　　　4 からする

12 お酒にかかる税金が _____ _____ ___★___ _____ ことだ。

1 私にとっては　　　　　　　　2 お酒を飲まない

3 上がろうと下がろうと　　　　4 どうでもいい

13 病気が完治した母は、「_____ _____ ___★___ _____ 、残りの人生は楽しく生きたい。」と早速海外旅行に出かけた。

1 死んだも　　2 一度は　　　　3 同然　　　　4 だから

14 仕事をする上で、会社や仲間のために多少の無理をする必要があることもわかりますが、自身の健康を犠牲 _____ _____ ___★___ _____ 、それはちょっと問題です。

1 と　　　　　　2 となる　　　　3 まで　　　　4 にして

15 ゆっくりと雲 _____ _____ ___★___ _____ 、焦らずのんびりと流れに身を任せてみることも人生には必要なのかもしれない。

1 ごとく　　　　2 流れる　　　　3 の　　　　4 かの

問題3 次の文章を読んで、文章全体の主旨を踏まえて、[16]から[20]の中に入る最もよいものを、1・2・3・4から一つ選びなさい。

最善主義

　私がお勧めしたいのは、「完璧主義」から「最善主義」へのシフトです。

　最善主義とは、「様々な制約のある不公平で理不尽な現実を素直に受け入れ、そんな状況の中で、ベストを尽くそう」という現実的[16]合理的な考え方です。

　最善主義は妥協やあきらめ、もしくは、完璧主義の格下げではないかと感じる人がいると思います。

　しかし、最善主義は、完璧主義の良い点である「常に高みを目指し、完成度の高いものをつくり上げようという意識」を残しつつも、現実への不満を軽減したり、失敗に対する恐怖心を[17]考え方なのです。

　つまり、完璧主義をレベルアップしたものが最善主義というわけです。

　最善主義では失敗を恥とか敗北などネガティブなものとしてとらえません。[18]、失敗はまたとない学びのチャンスであり、改善のキッカケであると考えます。

　さらに最善主義は、何かを始めるにあたって、条件を設定しません。

　また、失敗はより大きな成功に必要不可欠な要素であるとも考えます。

　哲学者サルトルは「悲しむことはない。いまの状態で何ができるかを考えて、ベストを尽くすことだ」という言葉を残しています。これは最善主義者が何かを始めるときの行動指針[19]。

　現実問題として、すべての条件が整うなんてことは[20]。条件が整うのを待っているうちに、せっかくのチャンスを逃してしまうことのないよう、思い立ったらすぐに始め、行動しながら改善を繰り返すのが最善主義者の特徴です。

（内田和俊『レジリエンス入門　折れない心のつくり方』ちくまプリマー新書による）

16

1　というより　　2　とともに　　　3　すなわち　　　　4　かつ

17

1　取り除きかねる　　　　　　　2　取り除いてくれる

3　取り除くおそれがある　　　　4　取り除かずにはいられない

18

1　それどころか　　　　　　　　2　それにもかかわらず

3　それによっては　　　　　　　4　それにしても

19

1　に限ります　　　　　　　　　2　とも言えます

3　とさえ言えません　　　　　　4　でしかありません

20

1　一概に言えません　　　　　　2　しかたがありません

3　滅多にありません　　　　　　4　考えないでは済みません

第**8**回

正答数

/ 20問

解答時間のめやす

30

分

解答・解説 ——→ 別冊 **6** ページ

問題 1 次の文の（　　）に入れるのに最もよいものを、1・2・3・4から一つ選びなさい。

1　あの店で売っているトマトは（　　）、味がいいのはもちろん、無農薬で安心して食べられる。

1　形こそ悪くて　　2　形こそ悪さで　　3　形の悪さこそ　　4　形こそ悪いが

2　A「ああ疲れた。明日は久しぶりの休みだから一日寝ていよう。」

B「疲れているときは、（　　）少し運動した方がいいらしいですよ。」

1　むしろ　　　　　2　つい　　　　　　3　ついでに　　　　4　はたして

3　A「朝晩、冷えますね。」

B「そうですね。ずいぶん秋（　　）きましたね。」

1　ぶって　　　　　　　　　　　　　2　ふうになって

3　まみれになって　　　　　　　　　4　めいて

4　才能も実績もある彼女が、この会社でも頭角を現すことは（　　）。

1　想像してやまない　　　　　　　　2　想像の一途をたどる

3　想像にかたくない　　　　　　　　4　想像にあたらない

5　賛成派（　　）反対派（　　）、この町を良くしていこうという同志であることには変わりはない。

1　やら／やら　　　　　　　　　　　2　であれ／であれ

3　なり／なり　　　　　　　　　　　4　といい／といい

6　（手紙で）

先日はありがとうございました。一言お礼を（　　）、この手紙を書いております。

1　申し上げたく　　2　いただきたく　　3　たまわりたく　　4　おっしゃいたく

7 読書の秋だとばかりにたくさん本を買い込んだが、急に忙しくなって読む時間が無くなってしまった。本は結局（　　）。

1 買わなくて済みそうだ　　　　　2 買ったきりになっている

3 買うつもりじゃなかった　　　　4 買って来ざるを得ない

8 国家試験に合格した彼女は、以前（　　）ますます熱心に仕事に取り組んでいる。

1 にひきかえ　　　2 にそくして　　　3 によらず　　　4 にもまして

9 林「うちの主人（　　）いい天気なのに家で本ばかり読んでいるの。」
吉岡「いいじゃない。お金がかかるわけじゃないし。」

1 にしては　　　2 ときたら　　　3 にあっては　　　4 とあれば

10 北海道のような雪の多い地方に住む人（　　）どうということもないだろうが、東京で雪が降ると歩くのも大変だ。

1 からして　　　　　　　　　　2 といっても

3 はともかくとして　　　　　　4 にしてみれば

問題2 次の文の___★___に入る最もよいものを、1・2・3・4から一つ選びなさい。

11 この店は、イタリアで修業した ＿＿＿ ＿＿＿ ＿★＿ ＿＿＿ 本格的なピザ
が食べられると評判だ。

1 あって　　　　2 彼が　　　　　3 だけ　　　　　4 シェフな

12 余命を宣告される ＿＿＿ ＿＿＿ ＿★＿ ＿＿＿ 、父はあきらめずに最期ま
で病気と闘った。

1 なお　　　　　2 及んで　　　　3 も　　　　　　4 に

13 この雑誌の記事は絶対に ＿＿＿ ＿＿＿ ＿★＿ ＿＿＿ 、読み進めると信 憑^{しんぴょう}
性^{せい}に欠けていると感じる。

1 までも　　　　2 とは　　　　　3 間違っている　4 言わない

14 我が家は代々続く和菓子屋で、私の ＿＿＿ ＿＿＿ ＿★＿ ＿＿＿ 美しさだ。

1 他のものとは　　　　　　　　2 祖父の作る菓子は
3 くらべものにならない　　　　4 師匠でもある

15 多くの ＿＿＿ ＿＿＿ ＿★＿ ＿＿＿ として、日本では坂本 龍 馬^{さかもとりょうま}があげられる。

1 歴史上の　　　　　　　　　　2 現代人を
3 人物　　　　　　　　　　　　4 引きつけずにはおかない

問題3 次の文章を読んで、文章全体の主旨を踏まえて、 16 から 20 の中に入る
最もよいものを、1・2・3・4から一つ選びなさい。

洛中と洛外

　行政上、京都市にはいっていても、洛中の人々からは、京都とみなされない地域があ
る。街をとりまく周辺部、 16 洛外の地は、京都あつかいをされてこなかった。私を
はぐくんでくれた嵯峨も、京都をかこむ西郊に位置している。ひらたく言えば、田舎だ
とされてきた地域のひとつなのである。

　自分は京都市に生まれそだったと、私は屈託なく言いきることができない。言えば、
おさないころは洛中ですごしたと、そうにおわす余地を、のこしてしまう。自分は洛
中の人間だと、誤解をされたがっているかのように、 17 。

　そういう物ほしげな男として、私は自分のことを印象づけたくない。とりわけ、洛
中の京都人たちに、そう思われるのは心外である。私は彼らから田舎者よばわりをされ、
さげすまれてきた嵯峨の子 18 。生まれそだちは京都市だということに、わだかまり
をおぼえるのはそのためである。

　出身は京都府だという言い方なら、私もあまりためらいを感じない。奥付の著者紹介
欄でも、京都府生まれとしておきたいところである。

　出生地の、ずいぶんちっぽけなちがいにこだわるんだなと、思われようか。しかし、
こういうことで私を自意識の病へおいこむ毒が、京都という街にはある。精神の自家中
毒を 19 のは、私だけにかぎるまい。洛外そだちには、同病の者もおおぜいいるだろ
う。

　ほかの街に、こういう心のもつれでなやむ人がいない、とは 20 。しかし、京都が
周辺住民にもたらす葛藤は、また格別である。

（井上章一『京都ぎらい』朝日新書による）

（注）洛：京都の市街地を指す

16

1　むしろ　　　　　2　いわゆる　　　　3　かえって　　　　4　それとも

17

1　ひびくにたえない　　　　　　　2　ひびくに越したことはない

3　ひびきかねなくなる　　　　　　4　ひびくことはない

18

1　にほかならない　　　　　　　　2　に及ばない

3　に限らない　　　　　　　　　　4　に至らない

19

1　ものともしない　　　　　　　　2　起こせばきりがない

3　おいてほかにない　　　　　　　4　余儀なくされている

20

1　言うまでもない　　　　　　　　2　言わなくて済む

3　言いようがない　　　　　　　　4　言うまい

第1回　第2回　第3回　第4回　第5回　第6回　第7回　第8回　第9回　第10回

第**9**回

正答数

20 問

解答時間のめやす

30

分

解答・解説 ⟶ 別冊 **7** ページ

問題1 次の文の（　　）に入れるのに最もよいものを、1・2・3・4から一つ選びなさい。

1 今月末（　　）閉店することとなりました。これまでのご愛顧に感謝申し上げます。
1　をおいて　　　　2　を限りに　　　　3　を皮切りに　　　4　をよそに

2 A「遅れるなら連絡ぐらいしてくれよ。」
B「連絡（　　）、スマホをうちに忘れてきてしまったんだよ。」
1　しように　　　　2　しそうに　　　　3　しそうにも　　　4　しようにも

3 いつもおとなしい彼が（　　）あんなに怒るとは思いもしなかった。よっぽど腹が立ったのだろう。
1　まさか　　　　　2　かえって　　　　3　どうやら　　　　4　さほど

4 幼なじみだった彼が総理大臣になるなんて、想像（　　）しなかった。
1　なり　　　　　2　だに　　　　　3　ゆえ　　　　　　4　のみ

5 このイベントは一人で実行するのは難しいが、三人なら（　　）。
1　やらずにはおかない　　　　　　2　やろうにやれない
3　やってやれないことはない　　　4　やらないものでもない

6 （お礼のメールで）
今回は結構なものを誠にありがとうございました。遠慮なく（　　）。
1　存じます　　　2　承ります　　　3　頂戴します　　4　かしこまります

7 この料理はこの地域（　　）食材で作られているから、他の町ではなかなかお目にかかれない。
1　ならではの　　2　たる　　　　　3　あっての　　　　4　に至る

8 森谷くんはまだ若いが、これからの日本の政治を動かしていく（　　）だろう。

1　一人がいい

2　一人といえる

3　一人でありたい

4　一人と知っている

9 A社は世界（　　）人工知能を持った介護ロボットを発売した。

1　に即して

2　にひきかえ

3　にもまして

4　に先駆けて

10 （マンションの掲示板で）

11月1日13時から14時まで、エレベーターの点検のため使用できません。（　　）よう、よろしくお願いいたします。

1　ご理解していただきます

2　ご理解くださいます

3　ご理解してくださいます

4　ご理解されます

問題2 次の文の___★___に入る最もよいものを、1・2・3・4から一つ選びなさい。

11 慣れない海外旅行の前は途中で体調が悪くなる ___ ___ ___★___ ___ 、体調を整えておきたい。

1 ように 　　　 2 ことの 　　　 3 ない 　　　 4 という

12 私が ___ ___ ___★___ ___ 苦労させることになってしまった。

1 失敗した 　　 2 ばかりに 　　 3 事業に 　　 4 家族にまで

13 この店舗の売り上げが好調なのは、立地条件の ___ ___ ___★___ ___ 大きいと言える。

1 さることながら 　　　　　　　 2 よるところが

3 彼の営業力に 　　　　　　　　 4 良さも

14 インターネットの普及で自宅にいながらにして仕事ができるようになり、 ___ ___ ___★___ ___ 怖さが潜んでいるとも言える。

1 一方で 　　　　　　　　　　　 2 ともすると仕事中毒になりかねない

3 会社での残業が減る 　　　　　 4 家でのプライベートな時間が減り

15 彼がこのプロジェクトの責任者なのに、彼に ___ ___ ___★___ ___ と言わざるを得ない。

1 からして 　　 2 信頼がない 　　 3 こと 　　 4 報告がない

第1回
第2回
第3回
第4回
第5回
第6回
第7回
第8回
第9回
第10回

問題 3 次の文章を読んで、文章全体の主旨を踏まえて、 16 から 20 の中に入る最もよいものを、1・2・3・4から一つ選びなさい。

公害

　アセスメントがどうであろうと、住民にとって気になるのは、"公害"である。「公害とは 16 」という議論はこの際さておいて、ここでは「住民が迷惑と感じることが公害だ」というくらいにして話を進めよう。

　下流施設によって生じる公害は、施設（以下では、ただ施設と言えば下流施設のこととする）の種類によって異なる。種類によって異なるばかりでなく、建設業者、事業者、運転者の能力や誠意によっても異なる。さらに、処理 17 ものを出す都市生活者の態度によっても異なる。したがって、これらについて、一律に確定的なことは言えない。

　確定的なことが言えない事情は、このような多様性の他にもう一つある。施設についての技術が現在 18 、大きく変化し続けていることである。一年前に作られた施設で生じた公害が、一年後に作られた施設でも生じるとは限らない。明らかな欠陥は、メーカーとしても改善に努めるからである。現に他の施設でこういう現象が起こっているではないかと指摘 19 、それに対する事業者の回答は、メーカーの言い分をうのみにして伝えているのであるが、「改善の処置がとってあります」というものになる。これが正しいかどうかは、やってみなければわからず、やってしまえば既成事実が優先して、もう一巻の終りである。

　こういうわけで、争いは、予測として、公害の発生がありそうかどうか、あるいは、それを十分予測評価するアセスメントになっているかどうかに集中する。公害が出るかどうかよりも、アセスメントが適切になされているかどうかが焦点になるのは 20 である。

（吉村功『ごみと都市生活』岩波新書による）

（注）アセスメント：環境影響評価

16

1　何ゆえか　　　　　　　　　　2　何ともしがたい

3　何にしても　　　　　　　　　4　何ぞや

17

1　したほうがいい　　　　　　　2　しないほうがいい

3　すべき　　　　　　　　　　　4　すべきでない

18

1　から　　　　　　2　なら　　　　　3　こそ　　　　　　　4　なお

19

1　しても　　　　　　　　　　　2　するかもしれず

3　せずに　　　　　　　　　　　4　しようとしまいと

20

1　これだけ　　　　2　あれだけ　　　　3　このため　　　　　4　あのため

第1回 第2回 第3回 第4回 第5回 第6回 第7回 第8回 第9回 第10回

第**10**回

正答数

<table>
<tr><td></td></tr>
<tr><td>20問</td></tr>
</table>

解答時間のめやす

<table>
<tr><td>30</td></tr>
<tr><td>分</td></tr>
</table>

解答・解説 ⟶ 別冊 7 ページ

問題1 次の文の（　　）に入れるのに最もよいものを、1・2・3・4から一つ選びなさい。

1 （携帯電話の店で）

店員「こちらの利用規約をよく（　　）サインをお願いいたします。」

1　ご覧の結果　　　　　　　　　　2　ご覧になった結果

3　ご覧くださった上に　　　　　　4　ご覧になった上で

2 生徒に何と（　　）、毎日多くの宿題を出すというのが南先生の信条だ。

1　言われたにもかかわらず　　　　2　言われたといえば

3　言われようとも　　　　　　　　4　言われようにも

3 （パーティーで）

加藤「吉田さん、お酒いかがですか」

吉田「いいえ、結構です。実は前にひどい二日酔いになったことがあって、それ以来（　　）お酒は飲まないと決めたんですよ」

1　二度と　　　　2　まるで　　　　3　とうとう　　　　4　一度も

4 母「どうしたの、そんなに濡れて。傘を持って行かなかったの？」

子「だって、お兄ちゃんが今日は雨降らないって（　　）。」

1　言ってたんだっけ　　　　　　　2　言ってたからって

3　言ってたんだもん　　　　　　　4　言ってたもんか

5 アルバイトに応募したが採用されなかった。（　　）。また、頑張って探そうと思う。

1　くよくよしてばかりいても始まらない

2　くよくよするに越したことはない

3　くよくよしてしかたがない

4　くよくよしてもさしつかえない

6 医者になってほしいという親の期待（　　）、彼は大学には進学せず、世界中を旅している。

1　をもって　　　　2　にもまして　　　3　をよそに　　　　4　に即して

7 （パーティーで）

A「こんな遠いところまで（　　）、ありがとうございます。」
B「こちらこそ、お招きくださって感謝いたします。」

1　おいでくださって　　　　　　　　2　参りまして
3　頂戴して　　　　　　　　　　　　4　来て差し上げて

8 彼は会社に（　　）、ダンス教室で講師もしている。

1　勤めがたく　　　　　　　　　　　2　勤めるかたわら
3　勤めがてら　　　　　　　　　　　4　勤めるそばから

9 石川「橋本さんって、毎月どれぐらい本を読んでるの？」
　橋本「忙しさにもよるけど、だいたい5、6冊（　　）ね。」

1　ところでだ　　　　　　　　　　　2　としたところだ
3　ところだ　　　　　　　　　　　　4　といったところだ

10 今、プロ野球で活躍中の彼がもう引退してしまう（　　）、到底信じられない話だ。

1　とはいえ　　　　2　ものの　　　　3　と思いきや　　　4　とは

問題2 次の文の＿＿★＿＿に入る最もよいものを、1・2・3・4から一つ選びなさい。

第1回

第2回

第3回

第4回

第5回

第6回

第7回

第8回

第9回

第10回

11 　A社が企画したコンサートは、＿＿＿＿　＿＿＿＿　＿★＿＿　＿＿＿＿　、大成功に終わった。

　　1　10,000人　　　　2　来場され　　　　3　お客様が　　　　4　に上る

12 　彼の実力は誰もが認めるところだ。試験に＿＿＿＿　＿＿＿＿　＿★＿＿　＿＿＿＿　だろうに。

　　1　合格した　　　　2　さえ　　　　3　しなければ　　　　4　遅れ

13 　少子高齢化は＿＿＿＿　＿＿＿＿　＿★＿＿　＿＿＿＿　に見られる深刻な問題だ。

　　1　のみならず　　　　　　　　　2　諸外国においても

　　3　同様　　　　　　　　　　　　4　わが国

14 　収賄問題で野党側の追及が続けば、首相は＿＿＿＿　＿＿＿＿　＿★＿＿　＿＿＿＿　。

　　1　おそれがある　　　　　　　　2　余儀なくされる

　　3　遅かれ早かれ　　　　　　　　4　辞任を

15 　新人だからといって甘えていてはいけない。仕事ができない＿＿＿＿　＿＿＿＿　＿★＿＿　＿＿＿＿　ことから一つずつ覚えていくしかないのだ。

　　1　なら　　　　　　　2　できる　　　　　3　できない　　　　　4　なりに

問題3 次の文章を読んで、文章全体の主旨を踏まえて、 16 から 20 の中に入る最もよいものを、1・2・3・4から一つ選びなさい。

思考

　考えるとひと口に言うけれども、前段と後段の二つに分かれる。前段は、なにか 16 の思考である。わかりやすい例で言えば、算数の問題の答えを出そうとして、頭を働かせるときの考えである。すこし難しい本を読んで、その「意味を考える」というときの考えもそうである。はじめての仕事にとりかかりうまくはこばないとき、どうしたらすんなりいくか、いろいろ工夫する。これもこの思考に入れてよい。具体的な問題を前にして考える具体的な思考がこの前段思考である。

　これはほとんどの人がしている思考、考えるという自覚なしに行っている思考であって、これをまったく経験しない 17 。

　後段で言っている思考はこういう具体的思考ではない、自由思考、純粋思考で、これをしている人は限られている。一生の間、一度もこの後段思考をしたことのない人はいくらでもいる。それどころか、ほとんどの人が、本当の思考をしないまま生涯を終えると 18 。

　どういうのが、自由思考か、純粋思考であるかというと、いまないもの、わからないものを考えることである。

　算数の応用問題の答えを求めて考えるのは、先にも言ったように、前段思考、具体思考である。それに対して算数の応用問題を"つくる"のは自由思考である。どういう問題をつくるかは自由である。一般に問題に答えるのより問題をつくる方がはるかに難しい。 19 、問題を解く思考のみ力を入れる教育が行われている。いくら問いに答えるのに上達しても、問題をつくる力はつかない。学校で算数や数学を勉強しても、本当の思考、純粋思考とは無縁であるのが普通である。

　自由、純粋思考は後段、つまり、あとでできる思考のように聞こえるかもしれないが、人間はすべて、みな自由で純粋な思考をしているのである。

　乳幼児は、なにも知らない、まして考えるなどということの 20 、とするのが常識であろうが、実は、きわめて活発な思考を行っているのである。

（外山滋比古　『逆説の生き方』講談社＋α文庫による）

16

1　にとって　　　　2　について　　　　3　によって　　　　4　にあいまって

17

1　人間はないであろう　　　　　　2　人間はいるはずだ

3　人間はないわけではない　　　　4　人間はいるかもしれない

18

1　言えばそれまでだ　　　　　　　2　言わずにはすまない

3　言っても言いすぎではない　　　4　言うまでのことだ

19

1　そのためもあって　　　　　　　2　そうであろうと

3　そればかりか　　　　　　　　　4　それをものともせず

20

1　できるわけだ　　　　　　　　　2　できるわけがない

3　できないわけだ　　　　　　　　4　できないわけがない

第1回　第2回　第3回　第4回　第5回　第6回　第7回　第8回　第9回　第10回

執筆者紹介

上田暢美 （うえだ のぶみ）
大学・日本語学校非常勤講師

内田嘉美 （うちだ よしみ）
日本語学校非常勤講師

桑島卓男 （くわじま たくお）
元日本語講師／北海道厚沢部町公営塾 講師

糠野永未子 （ぬかの えみこ）
大学・日本語学校非常勤講師

吉田歌織 （よしだ かおり）
大学・日本語学校非常勤講師

若林佐恵里 （わかばやし さえり）
日本語教師／日本語教師養成講座講師／ライター

安達万里江 （あだち まりえ）
関西学院大学国際学部日本語常勤講師

とりあえず日本語能力試験対策　N1　文法

2021年8月31日　初版第1刷発行

著者 .... 上田暢美・内田嘉美・桑島卓男・糠野永未子・吉田歌織・若林佐恵里・安達万里江
発行者 .... 吉峰晃一朗・田中哲哉
発行所 .... 株式会社ココ出版
　　　　　　　　　　〒162-0828 東京都新宿区袋町25-30-107
　　　　　　　　　　電話 03-3269-5438　ファクス 03-3269-5438
装丁・組版設計 .... 工藤亜矢子（okappa design）
印刷・製本 .... 株式会社シナノパブリッシングプレス

ISBN 978-4-86676-040-7

文法／解答・解説

N1

凡例

N：名詞

V：動詞

    Vて：て形

    Vる：辞書形

    Vよう：意向形

    Vられる：受身形

第1回

問題1

1 2
2 3 子供のような夫に対する妻の発言。
3 3
4 4
5 1
6 3 「NがNだけに」＝Nという理由があって〜。
7 2 ウチの関係である部長の鈴木（すずき）の行動として正しい言葉を選ぶ。
8 4
9 2 「〜やいなや」＝〜するとすぐに。
10 1 「契機として」＝きっかけに。

問題2

11 3 2→1→3→4。「Nひとつにしても〜」は、誰かの長所を述べるために例を出すとき使う。
12 4 3→1→4→2。
13 1 4→2→1→3。「失礼極まる」＝とても失礼。
14 3 4→1→3→2。
15 4 2→1→4→3。

問題3

16 3 「そうなると」は、変化を表す表現。
17 4 誰が「満たされる」のか考える。
18 2
19 1
20 4

第2回

問題1

1 1 「Vてやみません」＝とてもVています。
2 1
3 4
4 4
5 2 「〜に〜」＝とても〜。「〜」には動詞のます形から「ます」を除いた形が入る。
6 1 「Vる所存です」＝Vようと思っています（謙譲表現）。
7 3
8 1
9 4 「Vられる」＝自然と〜してしまう。
10 2 「帰るに帰れない」＝帰りたくても帰れない。

問題2

11 2 3→4→2→1。
12 3 1→4→3→2。
13 2 4→3→2→1。
14 1 2→3→1→4。「お金に手をつける」＝お金を盗む。「〜を禁じ得ない」＝〜の感情が湧いてきて抑えられない。
15 3 4→2→3→1。

問題3

16 4 「〜がゆえ（に）」＝〜が理由で。
17 4
18 3 「なしうる」＝成すことができる。
19 2
20 4

第3回

問題1

[1] 1

[2] 2

[3] 4 「かつ」＝そして。

[4] 3

[5] 3 「だに」＝さえ。同じ意味だが、さえの前は必ず名詞（＋助詞）。

[6] 4

[7] 4

[8] 1

[9] 2

[10] 1 「言わんばかりに」＝言ってはいないが、その気持ちがとても行動に表れている。

問題2

[11] 2 4→1→2→3。「手本」＝よいサンプル。

[12] 4 3→1→4→2。

[13] 3 1→4→3→2。

[14] 2 3→4→2→1。「〜きらいがある」＝〜という悪い傾向がある。

[15] 1 3→4→1→2。両親へのプレゼントに（なるように）と（思って）。

問題3

[16] 2

[17] 2

[18] 1

[19] 4 直前の「それが」は、ここでは「ところが」の意味。

[20] 1

第4回

問題1

[1] 4 「きりがない」＝終わりがない。

[2] 1 「〜がてら」＝〜のついでに、〜をかねて。

[3] 3 「ともなると」＝〜という状況になると。

[4] 2

[5] 1

[6] 1 誰が聞くのかを考える。

[7] 4

[8] 3

[9] 1 「社長の考え方いかんだ」＝社長の考え方によって結果が決まる。

[10] 2 「〜べからざる」＝〜することができない。

問題2

[11] 3 4→2→3→1。

[12] 1 3→2→1→4。「出しそびれる」＝出すチャンスを逃してしまう。

[13] 2 1→3→2→4。

[14] 3 4→1→3→2。

[15] 3 4→1→3→2。「〜とでも」は、例をあげるときの言い方。

問題3

[16] 4

[17] 3

[18] 2

[19] 1 「天寿を全うする」＝最後まで十分に生きること。ここでは、物が使えなくなるまで十分に使うこと。

[20] 3

第5回

問題1

1 1

2 4

3 4

4 1 「気がしなくもない」＝少しそんな
気がする。

5 2

6 3 「お目にかかる」＝会う。

7 1

8 2

9 3 「〜にあるまじき」＝〜がしてはい
けない。

10 3 「かたがた」は、ビジネスの場面な
どかたい場面でのみ使う。

問題2

11 3 2→4→3→1。「つい最近」＝ほん
の最近。

12 2 3→4→2→1。「〜と思いきや」＝
〜と思ったが、（意外にも、〜では
なかった）。

13 4 3→1→4→2。

14 4 2→1→4→3。「など」＝なんて。

15 1 2→3→1→4。

問題3

16 1

17 1

18 3 誰が何を理解するのか考える。

19 2

20 2

第6回

問題1

1 1

2 4

3 4

4 2

5 4 「Nずくめ」＝Nばかりであること。
「黒ずくめ」、「いいことずくめ」な
ど定型化した表現が多い。

6 1

7 1 「想像にかたくない」＝簡単に想像
できる。

8 3

9 2

10 4

問題2

11 2 4→1→2→3。

12 4 3→1→4→2。

13 1 3→2→1→4。「涙ながらに」＝泣
きながら。

14 3 4→2→3→1。

15 1 4→3→1→2。

問題3

16 4

17 2

18 4 選択肢中の「そう」が何を指すのか
を考える。

19 1

20 1 直前の「それどころか」に注目する。
「〜がたい」＝〜が困難・不可能だ。

第7回

問題1

1 1

2 4 「やれ〜だ…だ」は、同じ種類の事柄を二つ並べて使う。よくないことに使うことが多い。

3 4

4 4 「〜にあたらない」＝〜ほどではない。感情を表す言葉につく。

5 4 「Nまみれ」＝Nに表面を覆われて汚らしいさま。

6 3

7 1

8 1

9 2

10 3 「〜にあたって」は、改まった場面のスピーチなどで使われる。

問題2

11 2 3→1→2→4。

12 1 3→2→1→4。

13 3 2→1→3→4。

14 2 4→3→2→1。「犠牲にしてまで」＝ある目的（仕事）のために最大の犠牲（自身の健康）をはらってまで。

15 4 3→2→4→1。「〜かのごとく」＝（まるで）〜のように。書き言葉的。

問題3

16 4

17 2 最善主義の利点について述べていることに注目する。

18 1

19 2

20 3

第8回

問題1

1 4 「形こそ悪いが」＝形は悪いけれども。

2 1

3 4

4 3 「頭角を現す」＝才能などが周囲よりもすぐれていて目立ってくる。

5 2

6 1

7 2

8 4

9 2

10 4 「Nにしてみれば」＝Nの立場で考えれば。

問題2

11 3 2→4→3→1。「〜だけあって」＝（原因・理由として）当然だ。

12 3 4→2→3→1。

13 4 3→2→4→1。「間違っているとは言わないまでも」＝間違っていると言いきることはできないが。

14 1 4→2→1→3。

15 1 2→4→1→3。

問題3

16 2 「いわゆる」＝一般的によく言う。「街をとりまく周辺部」を言い換えている。

17 3 「〜かねなくなる」は、悪いことが起こる可能性があるという意味。筆者は、洛中の人間だと誤解されたがっていないことに注目する。

18 1

19 4 「余儀なくされる」＝そうせざるを得ないさま。

20 4

第9回

問題1

1 2

2 4

3 1

4 2 「Nだにしない」＝Nさえしない。Nすらしない。

5 3

6 3

7 1 「Nならではの」＝N特有の、Nにしかない。Nにしかできない。

8 2

9 4 「～に先駆けて」＝他者がまだやっていないことをする。

10 2 選択肢1と3は「して」があるので×。

問題2

11 3 4→2→3→1。

12 2 3→1→2→4。

13 3 4→1→3→2。「Nによるところが大きい」＝Nの影響が大きい。

14 4 3→1→4→2。

15 1 4→3→1→2。

問題3

16 4 「何ぞや」＝何だろう。

17 3

18 4

19 1 直前の「指摘」に対する回答が「改善の処置がとってあります」になることに注目する。

20 3

第10回

問題1

1 4

2 3

3 1

4 3

5 1 「くよくよする」＝いつまでも思い悩む。

6 3

7 1 「おいでくださって」＝来てくれて。尊敬語。

8 2 「会社に通うかたわら」＝会社に通う一方で。会社に通うのとは別に。

9 4

10 4 「～とは」＝～なんて。

問題2

11 3 1→4→3→2。

12 3 4→2→3→1。

13 2 4→1→2→3。

14 2 3→4→2→1。

15 4 1→3→4→2。「できないならできないなりに」＝できないのであれば、そのレベルに見合った程度で。

問題3

16 2

17 1

18 3 直前の文「一生の間、一度もこの後段思考をしたことのない人はいくらでもいる」に注目する。

19 1

20 2